AN BRADÁN FEASA

DARACH Ó SCOLAÍ

FIONN
An Bradán Feasa

Dathadóireacht: Caomhán Ó Scolaí

An Chéad Eagrán 2009
© Leabhar Breac 2009

ISBN 978-0-898332-42-1

Ealaín: Darach Ó Scolaí
Dathadóireacht: Caomhán Ó Scolaí
Clóchur, dearadh agus clúdach: Caomhán Ó Scolaí

Arna phriontáil ag Clódóirí Lurgan Tta,
Indreabhán, Co. na Gaillimhe

Nuair a bhí Conn Céadchathach ina ardrí ar Éirinn, bhí ógbhean ina cónaí in Almhain Laighean, agus Muirne Mhuinchaomh ab ainm di. Bhí sí chomh hálainn go raibh fir as gach cearn den tír ag teacht ag iarraidh í a phósadh. Ach ní raibh sí sásta le duine ar bith acu.

Chuaigh Muirne ag siúl sa choill, lá, agus chonaic sí fear ag fiach lena chú. Chomh luath is a leag sí súil air, shocraigh sí gurbh in é an fear a bhí uaithi.

Gaiscíoch i gcúirt an Ardrí i dTeamhair a bhí san fhear, agus Cumhall ab ainm dó. Thug an bheirt acu grá dá chéile, agus thug Cumhall leis Muirne abhaile mar bhean chéile go Teamhair.

Tar éis bliana, saolaíodh mac do Mhuirne agus Chumhall. Bhí súil ag Muirne go bhfásfadh an leanbh suas ina fhear mór láidir, agus go mbeadh sé ina ghaiscíoch i gcúirt an Ardrí, mar a bhí ina athair.

Ach, cé go raibh Cumhall láidir, ní raibh sé stuama. Fear bródúil trodach a bhí ann. Throid sé lena chairde, agus throid sé leis an Ardrí féin. Nuair nár fhan aon chairde aige, chruinnigh slua dá chuid naimhde le chéile le Cumhall a ruaigeadh as Teamhair. Sheas sé go cróga ina n-aghaidh, ach sa deireadh maraíodh é.

Chaoin Muirne uiscí a cinn nuair a chuala sí gur maraíodh Cumhall. Thug sí an leanbh léi, ansin, isteach i lár coille i bhfad ó naimhde a athar. D'fhás an leanbh ina pháiste breá folláin. Bhí folt fionn gruaige air, agus cóta a rinne Muirne dó as craicne ainmhithe.

Nuair a bhí sé ceithre bliana d'aois shocraigh Muirne go raibh sé in am oiliúint a chur air. Bhí deirfiúr le Cumhall ina cónaí i Sliabh Bladhma, agus Bómall ab ainm di. Banghaiscíoch a bhí inti féin, agus bhí sí chomh maith ag troid le fear ar bith. Thug Muirne an buachaill beag chuig Bómall, agus d'iarr sí uirthi oiliúint a chur air le go mbeadh sé ina ghaiscíoch cosúil lena athair.

D'imigh Muirne, agus d'fhág sí an buachaill beag le Bómall.

Mhúin Bómall rith agus léimneach dó. Thug sí ag fiach agus ag seilg é, agus d'fhoghlaim sé uaithi cén chaoi le fia a leanúint tríd an gcoill, agus é a mharú le sleá.

Nuair a bhí sé seacht mbliana d'aois mhúin sí troid dó le claíomh agus le sciath. Ba ghearr go raibh an buachaill ina ghaiscíoch beag láidir agus aclaí.

15

Lá amháin, d'imigh sé ag siúl leis féin agus tháinig sé chomh fada le teach scoile. Chonaic sé slua buachaillí ag iomáint ar an bpáirc imeartha os comhair na scoile. Thóg sé camán ó dhuine de na buachaillí agus chuaigh sé ag iomáint leo. Bhuaigh sé go héasca orthu. Nuair a chonaic sé oide na scoile ag teacht, d'imigh sé.

D'fhiafraigh an t-oide de na buachaillí cérbh é an buachaill fionn. Ní raibh a fhios acu. Dúirt sé leo, dá dtiocfadh an buachaill fionn ar ais, é a mharú.

Tháinig sé ar ais an lá dár gcionn. Ní raibh a fhios aige céard a bhí beartaithe ag na buachaillí dó. Chonaic sé ag snámh i loch in aice na scoile iad, agus léim sé isteach in éineacht leo. Nuair a chuaigh sé ag snámh leo rinne siad iarracht é a bhá. Ach fuair sé an ceann is fearr orthu go léir, agus bháigh sé naonúr de na buachaillí.

Agus é ag imeacht uathu chuala sé an t-oide ag fiafraí de na buachaillí cé a bháigh an naonúr.

'Fionn,' a dúirt na buachaillí. Agus ba é Fionn a tugadh mar ainm air as sin amach.

19

Nuair a bhí gach rud a bhí ar eolas ag Bómall múinte aici d'Fhionn, bhí sí sásta go raibh sé ina ghaiscíoch chomh maith is a bhí ina athair roimhe. Ach sula dtabharfadh sé aghaidh ar an saol mór theastaigh uaithi go bhfoghlaimeodh sé cén chaoi le bheith ina cheannaire stuama cliste.

D'inis sí d'Fhionn go raibh seanfhear léannta ina chónaí ar bhruach na Bóinne. File a bhí ann, agus Fionnéigeas an t-ainm a bhí air. Ní hamháin go raibh stair agus seanscéalta na nGael aige, ach bhí eolas aige freisin ar dhraíocht. Dúirt sí le Fionn dul chuige agus iarraidh air é a mhúineadh.

D'fhág Fionn slán le Bómall, agus d'imigh sé leis de shiúl trasna na tíre.

Nuair a tháinig Fionn chomh fada le habhainn na Bóinne, chonaic sé seanfhear ag iascach ar an mbruach. Mharaigh an seanfhear bradán. Thug sé i dtír é, las sé tine, agus chuir sé an bradán ar bior os cionn na tine chun é a róstadh. Ó am go chéile d'iompaigh sé an bradán ionas nach ndófadh an tine é.

Labhair Fionn leis an seanduine. D'inis sé dó cérbh é féin, agus dúirt sé leis go raibh sé tagtha sa tóir ar Fhionnéigeas chun stair agus seanscéalta na nGael a fhoghlaim uaidh.

'Is mise Fionnéigeas,' arsa an seanfhear, 'ach ní bheidh mé sásta thú a mhúineadh go n-íosfaidh mé an bradán seo.'

D'inis sé scéal d'Fhionn: 'I bhfad as seo, san áit ina n-éiríonn an Bhóinn ina sruthán beag as an talamh, tá crann ag fás. Ar an gcrann sin fásann cnónna draíochta. Tá fios agus eolas draíochta sna cnónna sin. Gach fómhar, nuair a bhíonn na cnónna aibí, titeann siad de ghéaga an chrainn isteach san uisce, agus imíonn siad le sruth isteach in abhainn mhór na Bóinne.'

'Anseo,' arsa Fionnéigeas, 'i bpoll domhain san abhainn, bhí bradán mór críonna ina chónaí. Gach bliain d'íosadh an bradán na cnónna a thagadh anuas le sruth chuige. Fuair sé fios draíochta ó na cnónna sin, agus is mar gheall air sin a tugadh an Bradán Feasa air.'

'Tá seacht mbliana caite agam ar bhruach na habhann ag iarraidh é a mharú,' ar sé.

Agus ba ar an lá sin ar tháinig Fionn chuige a mharaigh Fionnéigeas an Bradán Feasa.

D'fhág Fionnéigeas an bradán le Fionn. D'iarr sé air é a iompú go cúramach os cionn na tine, agus gan é a dhó. Sular imigh sé, chuir sé fainic ar Fhionn gan blaiseadh den bhradán, ach é a thabhairt chuige nuair a bheadh sé réidh le hithe.

Ach níor iompaigh Fionn an bradán ar an mbior os cionn na tine, mar a rinne Fionnéigeas. Tar éis tamaill d'éirigh an bradán an-te agus tháinig clog ar a chraiceann.

Nuair a chonaic Fionn an clog ar chraiceann an bhradáin tháinig faitíos air. Dá ndófadh sé an bradán ní bheadh Fionnéigeas sásta leis. Bhrúigh sé a ordóg anuas ar an gclog chun é a phléascadh. Phléasc sé an clog agus dhóigh sé a ordóg.

Bhí pian chomh mór air gur sháigh Fionn a ordóg dhóite ina bhéal. Nuair a rinne sé é sin tháinig fios draíochta chuige. Thuig sé ansin go raibh sé tar éis blaiseadh den Bhradán Feasa. Bhí sé cinnte anois nach mbeadh Fionnéigeas sásta leis.

Thug Fionn an bradán chuig Fionnéigeas. D'fhiafraigh Fionnéigeas de ar ith sé aon chuid den bhradán, agus d'inis Fionn dó céard a tharla.

Thuig Fionnéigeas ansin go raibh draíocht an Bhradáin Feasa ag Fionn, agus dúirt sé leis an bradán ar fad a ithe. D'inis sé dó nach raibh tada le múineadh aige dó, mar as sin amach nach raibh le déanamh aige ach a ordóg a chur ina bhéal agus thiocfadh eolas draíochta chuige.

Sin mar a fuair Fionn mac Cumhaill bua an fheasa. Nuair a chuir sé a ordóg ina bhéal arís, bhí a fhios aige gur gearr go gcaithfeadh sé aghaidh a thabhairt ar Theamhair chun áit a athar a iarraidh i gcúirt an Ardrí.

Ar fáil freisin sa tsraith Fionn:

DÓITEOIR NA SAMHNA

Fadó, thóg Ardrí Éireann cúirt mhór i dTeamhair. Réitigh sé fleá ann, faoi Shamhain gach bliain, do na Gaeil as gach cearn den tír. Bliain amháin, ar oíche Shamhna, tháinig fathach go Teamhair agus chuir sé an tArdrí agus an chúirt ar fad a chodladh le ceol draíochta. Nuair a bhí siad ina gcodladh, chaith sé lasair thine as a bhéal agus dhóigh sé cúirt an Ardrí.

Rinne sé é sin bliain i ndiaidh bliana. Ar deireadh, tháinig buachaill óg go Teamhair a gheall go gcuirfeadh sé deireadh leis an dóiteoir. Fionn mac Cumhaill ab ainm don bhuachaill sin.

Le teacht go luath sa tsraith Fionn:

BODACH AN CHÓTA LACHNA

Fadó, nuair a bhí cúirt ag Ardrí Éireann i dTeamhair, bhí buíon fear ag an Ardrí ar ar tugadh an Fhiann. Fir bhreátha láidre ab ea iad a choinnigh síocháin sa tír dó. Ba é Fionn mac Cumhaill an ceannaire ba cháiliúla a bhí ar an bhFiann.

Bhí Fionn ar Bhinn Éadair, lá, agus chonaic sé bád ag teacht i dtír. Léim gaiscíoch breá láidir amach ar an trá. Caol an Iarainn ab ainm dó, agus bhí sé tagtha ó Rí na Teasáile ag iarraidh chíos na hÉireann. Mura dtiocfadh Fionn ar dhuine éigin a bhuafadh ar Chaol an Iarainn i rás reatha, bheadh na Gaeil faoi smacht ag Rí na Teasáile go deo.

AN GIOLLA DEACAIR

Bhí Fionn agus Conán Maol ar Chnoc Áine, lá, nuair a tháinig fear mór gránna chucu ar chapall fada cnámhach.

Nuair a bhí an strainséir ag labhairt le Fionn, chuaigh an capall i measc chapaill na Féinne, agus thosaigh sí ag bualadh cos orthu agus ag baint plaiceanna astu. Chun an capall a smachtú, chuaigh Conán Maol in airde uirthi. Níor chorraigh an capall. Chuaigh gaiscígh na Féinne ar mhuin an chapaill, ina nduine is ina nduine, nó go raibh ceithre dhuine dhéag in airde uirthi. D'imigh an capall léi de rith ansin, siar i dtreo na farraige, na ceithre dhuine dhéag den Fhiann greamaithe di, agus Fionn á leanúint.

Le teacht go luath sa tsraith Fionn:

BRAN AGUS SCEOLÁN

Fadó, nuair a bhí cúirt ag Ardrí Éireann i dTeamhair, bhí buíon fear ag an Ardrí ar ar tugadh an Fhiann. Fir bhreátha láidre ab ea iad a choinnigh síocháin sa tír dó. Ba é Fionn mac Cumhaill a bhí ina cheannaire orthu.

Tháinig fear chuig Fionn, lá, agus scéala aige dó. Gach bliain le ceithre bliana, nuair a saolaíodh páiste dá bhean, thagadh fathach chuig an teach san oíche, chuireadh sé a lámh síos an simléar, agus sciobadh sé leis an páiste. An oíche sin, bhí a bhean ag súil leis an gcúigiú páiste, agus d'iarr an fear ar Fhionn teacht agus an leanbh a chosaint ar an bhfathach.

SÍ CHUILINN

Bhí Fionn ag fiach lena dhá chú, lá. Tháinig sé chomh fada le loch ar an sliabh, agus bean óg ag caoineadh ar bhruach an locha. D'inis sí d'Fhionn go raibh a fáinne óir tite sa loch. Léim Fionn isteach san uisce ag iarraidh an fháinne di.

Nuair a tháinig Fionn amach as an uisce leis an bhfáinne, rinneadh seanduine liath de. Níor aithin an dá chú é. Nuair a tháinig an Fhiann á chuardach, níor aithin siad é. Ní raibh tásc ná tuairisc ar an mbean óg.

An Cluiche Cláir

ARDRÍ

Sa chluiche cláir spleodrach lándaite seo d'óg agus aosta, caithfimid Fionn mac Cumhaill a thabhairt go cúirt an Ardrí i dTeamhair. Le cabhrú leis, tá an banghaiscíoch Bómall, Bodach an Chóta Lachna, an Bradán Feasa, Diarmaid ó Duibhne, agus cairde na Féinne. Ach tá a chuid naimhde ag fanacht linn freisin — Goll mac Morna, Conán Maol, an fathach Ailéan, an Giolla Deacair, ollphéisteanna, arrachtaigh, sluaite sí, agus go leor leor eile!